1

ABC

ICH KANN LESEN

Illustrationen Christa Unzner-Fischer

Joachim Walther

Kuddelmuddelkunterbunt und Außerüberordentlich

Der KinderBuchVerlag

Jaja die Künschtler.
Sagten die Leute im Haus und schüttelten die Köpfe,
wenn sie die Malerin sahen.
Die trug Latzhosen.
Einen schwarzen Männerhut.
Und außerdem einen Künstlernamen.

Maja E. Manzel, stand auf ihrem Briefkasten. Hinter dem großen E verbarg sie den Vornamen Eulalie, den ihre Mutter offenbar sehr schön gefunden hatte. Maja E. Manzel lebte oben unterm Dach juchhe. In einem Atelier. Das war ein riesiger Raum mit breiten und hohen Fenstern. Und weil sie dort zeichnete und malte, aber auch schlief und kochte, sich kämmte und duschte und Bilderrahmen baute, war ihr Atelier Wohnraum und Werkstatt zugleich.

Maja hatte darin ihre ganz eigene Ordnung. Auch wenn manch einer rief: Mein Gott, ist das ein Durch-

einander! Die Büchsen und Tuben mit den Farben, die Pinsel und Spachtel, das Malmittelöl und die Pinselreiniger standen und lagen bunt um sie herum. Das war sehr praktisch beim Malen. Nur ein Beispiel: Mischte sich zufällig ein Vollmondgelb mit einem Südseeblau, ergab das ein völlig neues, wunderschönes Grün. Solche Zufälle brachten Maja auf Einfälle. Und ohne Einfälle entsteht kein Bild. Auch kein Lied. Kein Buch. Ohne Einfälle entsteht rein gar nichts. Jedenfalls bei den Künstlern.

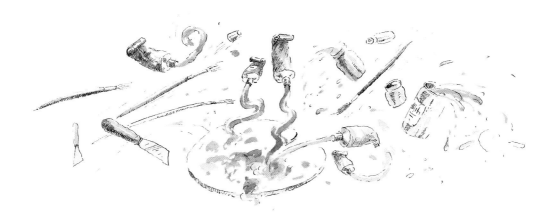

Malte Maja ein großes Bild, war ihr Kopf ganz ausgefüllt mit ihrer Arbeit und nur die war ihr wichtig. Und ein großes Bild ordentlich zu malen, dauert manchmal Wochen. Doch essen mußte Maja auch, und so aß sie nebenbei, eine Farbbüchse in der linken, den Löffel in der rechten Hand. Ober sie bekam beim Malen plötzlich Appetit auf Harzer Käse, oder wusch sich zwischendurch ihr Haar, lief mit dem Pinsel in der Hand ins Badezimmer und vergaß ihn dort. So war das, und so kam es, daß bei ihr eben einiges durcheinanderlag.

Kochtöpfe zwischen Farbbüchsen.

Haarwaschmittel neben Harzer Käse.

Malpinsel auf der Klopapierrolle.

Doch jede Woche samstagabends setzte sie den Männerhut ab und löste ihr langes, schwarzes Haar, zog die weiße Latzhose aus und ein weißes Kleid mit einem tiefen Ausschnitt an. Maja E. Manzel liebte nicht nur die schönen Künste. Sie liebte auch schöne Männer. Einen davon lud sie jeden Samstag ein. Aber immer einen anderen. Mit dem trank sie süßen Wein von der Sorte Liebeszauber und plauderte mit ihm über dies und das und allerlei.

Nach Mitternacht legte sie den Mann aufs Bett und
küßte ihn.

Zuerst auf den Mund.

Dann auf den Hals.

Und so immer weiter bis hinunter zum kleinen Zeh.

Eines samstagabends kam einer, der hieß Friedemann Funkel. Den hatte sie in der Semmelweis-Apotheke in der Semmelweisstraße kennengelernt, als
sie Pillen gegen das Kinderkriegen holte. Der Herr
Apotheker Funkel besaß weiche Hände und pieksaubere Fingernägel, was sie von den Fingernägeln der
anderen Männer nicht immer sagen konnte. Überdies
roch er betörend nach wilden Kräutern. Am ersten
Abend nach Waldmeister mit Zitronenmelisse.

Nachdem Maja mit Herrn Funkel Wein getrunken und geplaudert hatte über dies und das und allerlei, legte sie ihn aufs Bett und küßte ihn.

Zuerst auf den Mund.

Dann auf den Hals.

Und so immer weiter bis hinunter zum kleinen Zeh.

Am Sonntagmorgen nach dem Frühstück räumte Friedemann den Tisch ab, spülte das Geschirr und putzte sogar eins der großen Fenster. Das fand Maja sehr erfreulich, da nun mehr Licht durchs Fenster fiel und die Farben ihrer Bilder stärker leuchteten. Am nächsten Samstag lud sie diesen Friedemann noch einmal ein. Das war bisher äußerst selten vorgekommen. Die anderen Männer konnte sie schon nach dem ersten Abend nicht mehr riechen: Die rochen nur nach Mann. Dieser Friedemann aber nicht. Am zweiten Samstagabend duftete er nach Kamille und Veilchen. Und am dritten nach Wacholder mit Zimt. Beim Frühstück fragte ihn Maja, ob er nicht die ganze Woche über bei ihr wohnen wolle.

Friedemann wollte. Er zog ein mit Kräuterkrems, Handbürste und Fingernagelfeile, einem Stapel alter Kräuterbücher und einem kleinen Regal, in das er die alten Kräuterbücher fein ordentlich stellte.

Von nun an ging er allmorgendlich aus Majas Atelier in seine Semmelweis-Apotheke. Dort stand er in blütenweißem Kittel hinterm Ladentisch und entnahm den fein säuberlich beschrifteten Schubladen die gewünschten Arzneien. In Friedemanns Apotheke war alles wohlgeordnet. Das mußte auch so sein, denn Verwechslungen hätten hier arge Folgen. Man stelle sich vor:

Ein Patient mit Zahnweh bekäme Abführtabletten.

Jemand mit Ohrenschmerzen Nasentropfen.

Einer mit verstauchter Hand ein Pulver gegen Schweißfüße.

Das fänden die Betroffenen vermutlich gar nicht lustig.

Bei Maja putzte der ordentliche Apotheker Friedemann auch die restlichen großen Fenster, wusch
täglich ab, räumte ständig auf und machte immerzu
sauber. Nach drei Wochen aber sagte er zu ihr: Liebste Maja, könntest du nicht ein wenig mehr Ordnung
halten?
Wieso? fragte Maja, die gerade malte.

Nun, sagte Friedemann, mich stört, ehrlich gesagt, der Harzer Käse neben dem Haarwaschmittel.
Mich nicht, sagte Maja und malte weiter.
Ach du mein liebes Fräulein Kunterbunt, sagte Friedemann und seufzte.
Ach du mein liebes Herrlein Überordentlich, sagte Maja und lachte.
Nach weiteren drei Wochen, als eines Tages die Klopapierrolle in einem Kochtopf lag, raufte sich Friedemann die Haare und rief verzweifelt: Drunter und drüber, was ist das für eine furchtbare Unordnung!

Und Maja rief: Papperlapapp, das ist keine furchtbare, sondern Majas fruchtbare Unordnung!
Da nannte er sie Frau Kuddelmuddelkunterbunt, und sie ihn Herr Außerüberordentlich.

Er sie
Mischmaschmaja.
Sie ihn
Schlimmerflimmerfrieder.
Er sie Liederlottel.
Sie ihn Putzifuzzi.

Sie stritten lange, es ging hin und her und her und hin, bis Friedemann sagte: Kraut und Rüben, wenn du hier nicht aufräumst, geh ich. Maja stutzte, schluckte, bat: Bleib, mein bester Friedemann, ich lieb dich doch. Er aber sprach: Beweise es. Sprach's mit einem dicken Kloß im Hals. Und ging.

Maja überlegte, was und wie und wo sie aufräumen könnte. Sah aber nichts, was sie störte, denn es war ja ihre ganz eigene Ordnung. Da sie jedoch wollte, daß ihr Friedemann wiederkam, überlegte sie weiter. Überlegte lange, sehr lange, nämlich drei Stunden. Danach hatte sie eine Idee. Eine blendende Idee. Fand sie.

Zuerst legte sie alles, was spitz ist, auf einen Haufen: Also Mohrrüben, Malpinsel, Haarnadeln und Brotmesser.

Dann trug sie alles Runde zusammen: Also Farbbüchsen, Klopapierrolle, Kartoffeln, Antibabypillen und Kochtöpfe.

Und schließlich stellte sie alles Weiche nebeneinander hin: Also Haarwaschmittel, Harzer Käse und Badeschwamm, dazu Speisequark und Schuhkrem.
Nichts stand an seinem alten Platz. Alles war neu geordnet, und Maja sehr zufrieden mit sich.

Als Friedemann nach fünf Stunden wiederkam und das Atelier sah, schlug er die Hände über dem Kopf zusammen, verdrehte die Augen und ging. Wortlos, denn es hatte ihm die Sprache verschlagen.

Doch diesmal kam er schon nach drei Stunden zurück, und nicht mit leeren Händen. Er schleppte Schränkchen und Schubladen, Kisten und Kästen ins Atelier und sprach: Liebste Maja, setz dich bitte ganz still in eine Ecke und sieh mir zu, wie ich hier Ordnung mache.

Er rollte die Hemdsärmel hoch, band sich eine Schürze um und begann das große Aufräumen. Ins Duschkabinenschränkchen legte er: Haarwaschmittel, Badeschwamm, Antibabypillen und die Klopapierrolle.

Das Malmittelöl in eine Schublade mit dem Schildchen: Malmittelöl.

Die Pinsel in eine Kästchen mit dem Schildchen: Pinsel.

Die Farbbüchsen in ein Schränkchen mit der Aufschrift: Farben.

In den Kühlschrank Speisequark, süßen Wein und Harzer Käse.

Das Brotmesser zum Brot, die Schuhkrem zu den Schuhen.

Bald war alles in Schränkchen und Schubfächern, in Kisten und Kästen verschwunden. Maja staunte, wie Friedemann das geschafft hatte. Bewunderte ihn auch ein bißchen. Konnte sich aber auch nach Tagen so recht nicht an seine strenge Schubladenordnung gewöhnen.

Du, sag mal, fragte sie, wo ist eigentlich das Malmittelöl?

Friedemann antwortete: Natürlich in der Malmittelölschublade.

Und wo ist die verflixte Malmittelölschublade?

Selbstverständlich unter dem Pinselkästchen.

Und wo ist, bitteschön, das vermaledeite Pinselkästchen?

Rechts vom Farbbüchsenschränkchen.

Und wo zum Teufel ist das verdammte Farbbüchsenschränkchen?

Aber Maja, links vom Pinselkästchen.

Das Fragen und Antworten dauerte viel länger, als hier geschrieben steht. Eine Ewigkeit, fand Maja. Früher, in ihrer ganz eigenen Ordnung, hatte sie das Malmittelöl entschieden schneller gefunden. Vor allem ohne zu fragen. Jetzt fand sie nichts mehr ohne Friedemanns Hilfe. Sie suchte Farben, Pinsel und Malmittelöl so oft und so lange, daß sie viel Zeit dabei verlor und auch die Lust zum Bildermalen. In ihrem Kopf entstand ein Gewusel aus Schubladenschildern, Kistenkästchen und Schildschubschränkchen, ein Wortwirrwarr, das solche Worte wüst durcheinanderwirbelte:
Haarbüchsenkäse
Pinselkochtopf
Klowaschfarbe

Nachts träumte sie, Friedemann sei ein leibhaftiger Putzteufel, sein Mund eine gräßlich große Schublade, die sich knirschend öffnete und sie, die angstschlotternde Maja, verschlang.

Das alles ließ Maja E. Manzel mit der Zeit hitzgickelig werden. Die Hitzgickelei, muß man wissen, ist eine üble Laune. Sie besteht zugleich aus Griesgram und Jähzorn, und wen sie befällt, wird ziemlich ungenießbar. Was auf Maja mittlerweile zutraf. Überflüssig zu sagen, daß sie Friedemann nicht mehr aufs Bett legte, weshalb es auch keine Küsse mehr gab.

Weder auf den Mund.

Noch auf den Hals.

Nicht mal auf den kleinen Zeh.

Friedemann Funkel jedoch besaß nicht nur weiche Hände, pieksaubere Fingernägel und seinen betörenden Duft nach wilden Kräutern, sondern zudem ein feinfühliges Gemüt. Lange sann er darüber nach, wie er Majas üble Laune bessern könnte. Auch suchte er in seinen alten Kräuterbüchern nach einem Heilmittel, fand aber kein Rezept gegen die Hitzgikkelei. Also beschloß er, es selber zu finden.

Zu diesem Zweck trug er allerlei Apparaturen, Kugeln und Kolben, Kräuter, Pulver und Tinkturen in das Atelier. In einer Ecke begann er zu mischen, zu wiegen und zu sieden, daß es dampfte, brodelte und zischte. Zunächst versuchte er es mit einer Kräuterteemischung. Die bestand aus Brennesseln, Schafgarbe und Schachtelhalm. Als er den Tee trank und der, außer das er scheußlich schmeckte, keinerlei Wirkung zeigte, verdüsterte sich auch seine Laune. Doch auf gab Friedemann nicht. Nun wollte er einen Kräuterbalsam herstellen. Und zwar aus Johanniskraut, Baldrian und Schlafmohn.

Und weil das schwierig war und viel Zeit kostete, fand er kaum noch eine Minute fürs Saubermachen und Aufräumen. Auch legte er seine Kräuter, Pulver und Tinkturen, die Kugeln, Kolben und Apparaturen nicht mehr an jedem Tagesende fein ordentlich in Schubladen, Kisten und Kästen. Er ließ alles stehen und liegen, wie es eben stand und lag. So konnte er am nächsten Tag genau dort weitermachen, wo er am Vortag aufgehört hatte. Das war sehr praktisch, doch entstand dadurch in Friedemanns Kräuterecke nach und nach eine ganz eigene Ordnung. Eine arbeitsbedingte Unaufgeräumtheit, wie er es nannte. Furchtbar nannte er das nicht.

Während es also bei ihm dampfte, brodelte und zischte, begann sie, ein großes Bild zu malen. Ein Bild vom Meer.

Er war derart damit beschäftigt, den Kräuterbalsam gegen die Hitzgickelei zu erfinden, daß er nicht darauf achtete, ob Maja all ihre Pinsel, Farben und das Malmittelöl am Tagesende in die dafür vorgesehenen Schubladen und Schränkchen räumte. Und so, nach und nach, entstand wieder Majas ganz eigene Ordnung.

Malpinsel neben Haarwaschmittel.

Harzer Käse auf Farbbüchsen.

Die Klopapierrolle ... Nein, die nicht, die lag nicht im Kochtopf, da paßte Maja auf: Friedemann zuliebe.

Sonst aber sah es im Atelier aus wie früher. Friedemann merkte von all dem nichts. Auch nicht, wie sich Majas üble Laune langsam besserte.

So verging Abend um Abend. Maja malte fleißig und Friedemann mischte, wog und siedete, daß es dampfte, brodelte und zischte. Nach drei Wochen war es dann soweit.

Maja beendete ihr Bild, das ihr sehr gut gelungen war. So gut, daß man meinte, daß Meer zu riechen: Den Tang, das Salz, den Wind. Durch Friedemanns Kräuterdüfte war sie so empfindsam geworden, daß sie nun eine ganz besonders feine Nase fürs Malen besaß.

Friedemann stellte seinen Kräuterbalsam gegen die Hitzgickelei fertig. Den nannte er Funkels Pudelwohlbalsam und wollte ihn gleich ausprobieren. Natürlich an Maja. Doch die, das bemerkte er erst jetzt, war gar nicht mehr hitzgickelig, sondern ausgesprochen guter Laune. Das nun betrübte Friedemann.

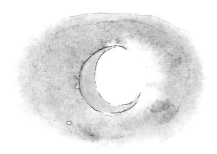

Du brauchst ja mein Pudelwohlbalsam gar nicht mehr, rief er griesgrämig und zugleich etwas jähzornig. Also hitzgickelig.

Ich nicht, sagte Maja, aber, wie es aussieht, du.

So kam es, daß Friedemann seinen Pudelwohlbalsam am eigenen Leibe probierte. Und siehe da: Als er sich damit die Brust eingerieben hatte, wurde ihm so wunderlich wohl ums Herz, daß er Maja aufs Bett legte und sie küßte.

Zuerst auf den Mund.

Dann auf den Hals.

Und so immer weiter bis hinunter zum kleinen Zeh.

Himmel hast du Töne, rief Maja, den Balsam muß ich
auch probieren!
Heute ich, sagte Friedemann, morgen du.
Und das, sagte Maja, die gern das letzte Wort behielt,
und das jeden Abend.
Genauso machten sie es. Auf diese Weise nahm bei
Maja und Friedemann die Liebe kein Ende.
Und wenn das die Leute im Haus sehen könnten,
würden sie lächeln und sagen: Jaja die Künschtler
und die Apotheker.

© 1992 Der KinderBuchVerlag, Berlin
Alle Rechte vorbehalten
Einbandgestaltung: Andreas Petzold
Einband- und Inhaltillustrationen: Christa Unzner-Fischer
Satz: Gebr. Garloff GmbH, Magdeburg
Repro: Ostsee-Zeitung Verlag und Druck GmbH
Druck und Bindung: Graphischer Großbetrieb Pößneck GmbH
Ein Mohndruck-Betrieb
Printed in Germany

ISBN 3-358-02047-9